Título original: *P comme Papa*, 2007

Colección libros para soñar

© Éditions Sarbacane, 2007
De la edición original en Portugal: Pê de Pai © Planeta Tangerina, 2006, Lisboa
© del texto: Isabel Martins, 2006
© de las ilustraciones: Bernardo Carvalho, 2006
© de la traducción: Xosé Ballesteros, 2009
© de esta edición: Kalandraka Ediciones Andalucía, 2009
Avión Cuatro Vientos, 7- 41013 Sevilla
Telefax: 954 095 558
andalucia@kalandraka.com
www.kalandraka.com

Impreso en C/A Gráfica, Vigo
Primera edición: febrero, 2009
ISBN: 978-84-96388-17-8
DL: SE 37-2009

P de papá

Isabel
Martins
Bernardo
Carvalho

kalandraka

papá avión

papá-
perchero

papá cuidador

papá
grúa

papá
tractor

papá
sofá

papá escondite

papá colchón

papá
confidente

papá flotador

papá chocolate

papá
domador

papá meta

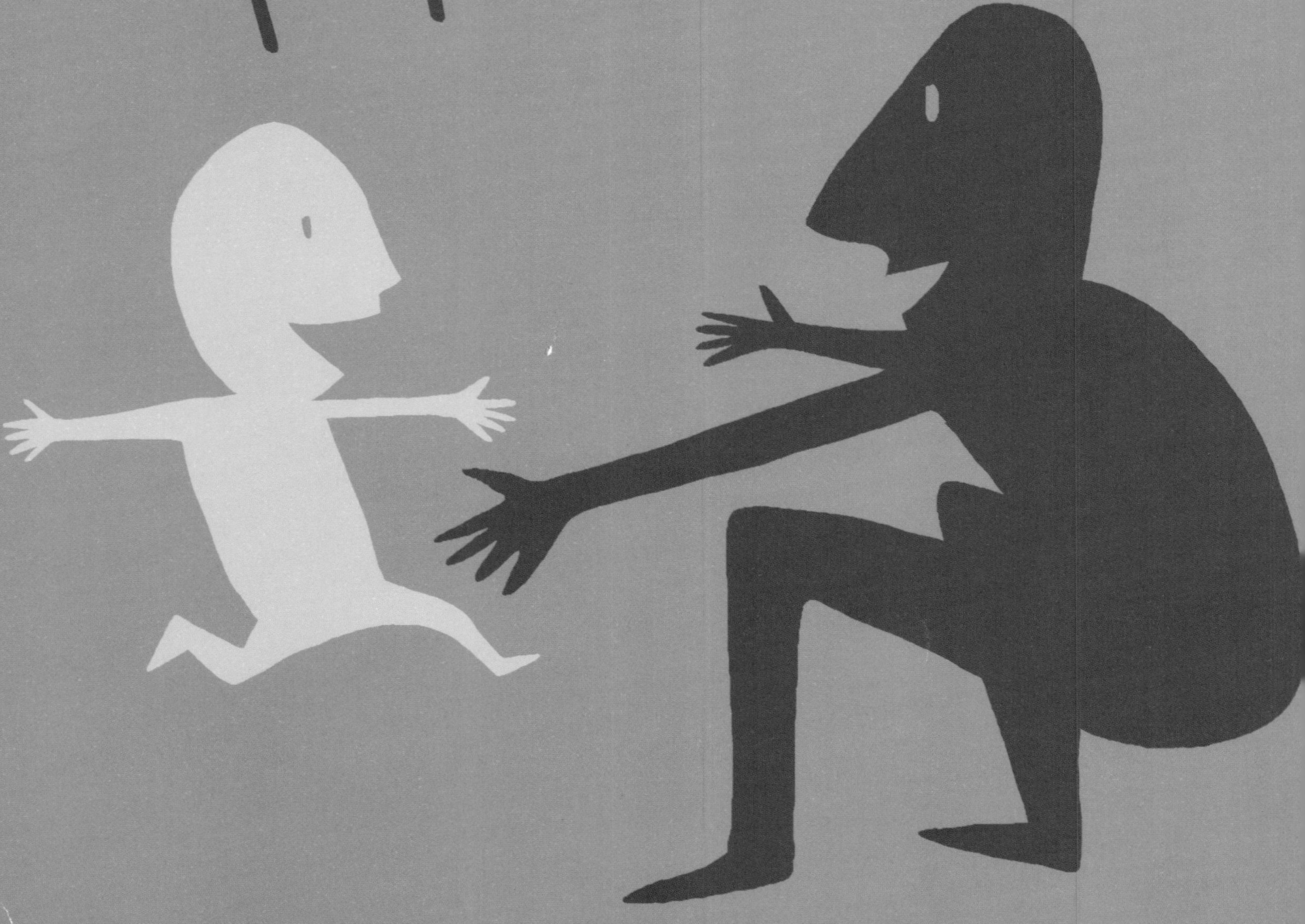

papá
fregón

papá ambulancia

papá despertador

papá doctor

papá
tiovivo

papá
caballito

papá túnel

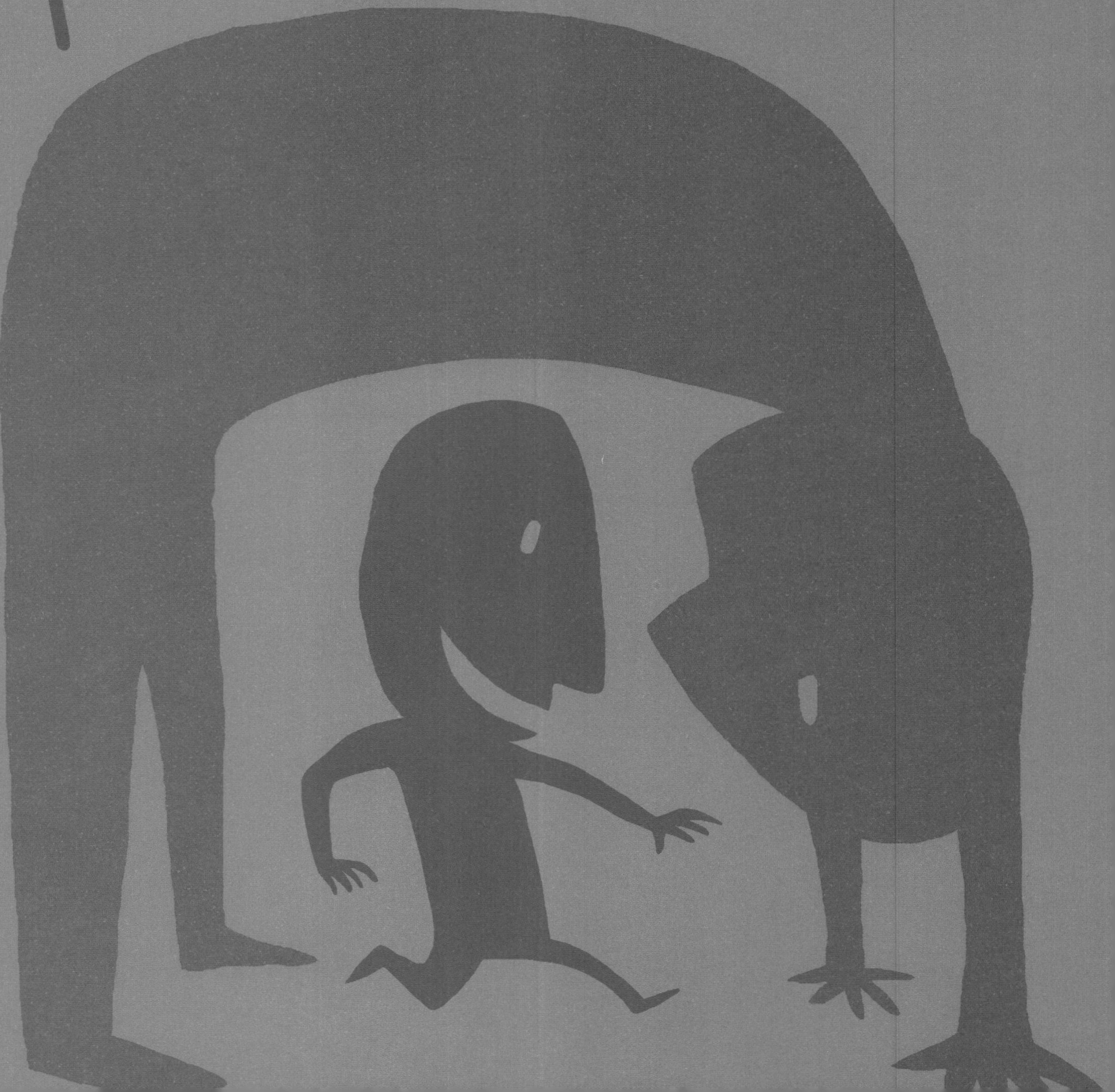

papá

¡ pequeñito !